这是我的书 It's MY BOOK 6级：300字

黄河的话

原作：叶圣陶（Ye Shengtao）
改编：程以克（Vicki Cheng）
配图：秦志宁（Zhining Chin）

北京语言大学出版社
BEIJING LANGUAGE AND CULTURE UNIVERSITY PRESS

PHOENIX TREE
PHOENIX TREE PUBLISHING INC.

识读 力气 泥 田 风光
带 跑

句型 有的……有的……

字数 312字

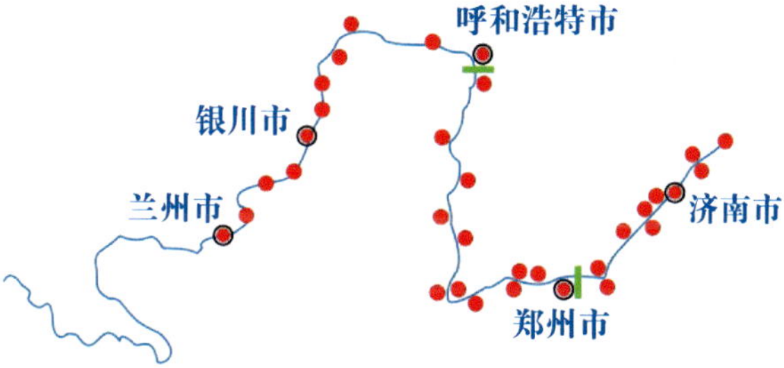

wǒ jiào huáng

我叫黄

hé shì yì tiáo

河，是一条

cháng cháng de dà hé wǒ cóng qīng hǎi de gāo shān

长长的大河。我从青海的高山

shang dòng shēn pǎo a pǎo yì zhí pǎo dào dōng bian

上动身，跑啊跑，一直跑到东边

de dà hǎi li gāo xìng le wǒ jiù kuài kuài de

的大海里。高兴了，我就快快地

pǎo lì qi bù duō le wǒ jiù màn màn de pǎo

跑；力气不多了，我就慢慢地跑。

shān shang de ní shā kàn dào wǒ
山上的泥沙看到我

yào qù dōng fāng jiù shuō bǎ
要去东方，就说：“把

wǒ men yě dài shang ba wǒ men
我们也带上吧！我们

xiǎng kàn kan dà dì hé shān shuǐ
想看看大地和山水。”

wǒ dài zhe zhè xiē huáng sè de péng you yì qǐ pǎo

我带着这些黄色的朋友一起跑，

wǒ de shēn tǐ yě biàn chéng le huáng sè hòu lái rén

我的身体也变成了黄色。后来，人

men jiù jiào wǒ huáng hé

们就叫我“黄河”。

pǎo a pǎo a
跑啊跑啊，
cháng chéng dào le
长城到了。
wǒ yí huìr pǎo dào
我一会儿跑到
cháng chéng wài miàn yí
长城外面，一
huìr yòu pǎo dào cháng
会儿又跑到长

chéng lǐ miàn wǒ pǎo
城里面。我跑
guò méi yǒu rén de dà shā
过没有人的大沙
mò wǒ pǎo dào dōng fāng
漠，我跑到东方
de tǔ dì shang wǒ hái
的土地上，我还
pǎo guò hěn duō lǜ sè de
跑过很多绿色的
tián dì gěi tián dì jiāo
田地，给田地浇
mǎn le shuǐ
满了水。

yǒu shí wǒ pǎo zài liǎng zuò shān de zhōng
有时，我跑在两座山的中
jiān shān hěn gāo lù hěn zhǎi wǒ zhǐ hǎo kuài kuài
间，山很高，路很窄，我只好快快
de pǎo méi néng hǎo hǎo kàn kan nà li de fēng guāng
地跑，没能好好看看那里的风光。

wǒ pǎo guò hěn duō dì fang yǒu de dì fang
我跑过很多地方。有的地方

liǎng biān dōu shì fáng zi yǒu de dì fang tǔ dì bǐ
两边都是房子，有的地方土地比

wǒ de shuǐ miàn hái dī rén men wèi le bú ràng wǒ
我的水面还低。人们为了不让我

de shuǐ pǎo dào wài
的水跑到外

miàn qù jiù zài
面去，就在

liǎng biān xiū qi le
两边修起了

gāo gāo de qiáng
高高的墙。

zuì hòu wǒ pǎo jin le dà hǎi li duō me
最后，我跑进了大海里。多么
gāo xìng a wú biān de hǎi shuǐ hé wǒ yì qǐ chàng
高兴啊！无边的海水和我一起唱
gē yì qǐ kàn dà hǎi shang shēng qi de hóng hóng
歌，一起看大海上升起的红红
de tài yáng
的太阳。

1 我叫黄河，是一条长长的大河。我从青海的高山上动身，跑啊跑，一直跑到东边的大海里。高兴了，我就快快地跑；力气不多了，我就慢慢地跑。

2 山上的泥沙看到我要去东方，就说："把我们也带上吧！我们想看看大地和山水。"

3 我带着这些黄色的朋友一起跑，我的身体也变成了黄色。后来，人们就叫我"黄河"。

4 跑啊跑啊，长城到了。我一会儿跑到长城外面，一会儿又跑到长城里面。我跑过没有人的大沙漠，我跑到东方的土地上，我还跑过很多绿色的田地，给田地浇满了水。

5 有时，我跑在两座山的中间，山很高，路很窄，我只好快快地跑，没能好好看看那里的风光。

6 我跑过很多地方。有的地方两边都是房子，有的地方土地比我的水面还低。人们为了不让我的水跑到外面去，就在两边修起了高高的墙。

7 最后，我跑进了大海里。多么高兴啊！无边的海水和我一起唱歌，一起看大海上升起的红红的太阳。

1
呼和浩特市
银川市
济南市
郑州市

2

3

4

5

6

看图讲故事

7